Chiqui®

Cartilla de lectura inicial

Pertenece a:

ANGELINA VARGAS

NIKA
EDITORIAL S.A.

Chiqui
Cartilla de lectura inicial

La cartilla CHIQUI ha sido elaborada
según el plan del editor y bajo su reponsabilidad.

Director editorial

Jairo Aguirre B.

Autores

Leandro Pantoja Caicedo
Gustavo Zúñiga Espitia

Diseño y diagramación

Lontano Publicidad Gráfica Ltda.

Ilustraciones

John Jairo Gómez

Asesoría pedagógica

Martha Lucia Espejo
Lic. en Educación Preescolar

Nika Editorial S.A.

© Derechos reservados © 2007

Décima Edición

ISBN 958-97285-2-9

Impreso por:

NIKA EDITORIAL S.A.   Enero 2012
nikacolombia2@hotmail.com
Depósito legal: 2004-5364 decreto 460 de 1995

PRESENTACIÓN

CHIQUI Cartilla de Lectura Inicial es una propuesta pedagógica que Nika Editorial presenta con orgullo a todos los docentes, acorde a los avances y sugerencias pedagógicas propuestas. Está elaborada para niños que inician el proceso de aprendizaje, para que adquieran las técnicas básicas de la lectura que le permitan el acceso mediante la lectura a todo tipo de textos escritos.

Empleamos el método de lectura global de palabras, que por su sencillez conlleva a un fácil y agradable aprendizaje.

CHIQUI está ilustrada con gráficas a todo color, las cuales, acompañadas con las palabras y textos correlacionados, permitirán al niño una mayor motivación, para hacer más fácil el proceso enseñanza aprendizaje y la mejor conceptualización y reflexión del contenido de la cartilla.

Esperamos que CHIQUI sea una fuente de aprendizaje, para fomentar en los niños el amor por la lectura y para que encuentren placer en aprender, satisfaciendo sus necesidades y logrando sus objetivos en el aprendizaje en forma progresiva.

EL EDITOR

ORIENTACIONES DIDÁCTICAS

CHIQUI es una cartilla de lectura básica que responde a una metodología global analítica-sintética de fácil aprendizaje, teniendo como objetivo básico la enseñanza del proceso de comunicación escrita, partiendo del aprendizaje sicomotriz y silábico, con palabras y frases seleccionadas con un vocabulario sencillo, propio del niño, para que aprenda a leer sin complicaciones. Así, la cartilla se desarrolla de una manera agradable, teniendo en cuenta los siguientes pasos:

1. ETAPA PREPARATORIA
Las primeras páginas están encaminadas a una etapa de aprestamiento, como preparación a la identificación de las letras a través del trazo de las líneas fundamentales que el alumno empleará en la escritura favoreciendo la coordinación sicomotriz.

2. ETAPA INICIAL
Aprendizaje de las vocales (solamente en minúsculas para evitar hacer complejo el proceso de aprendizaje). Éstas se presentan con la palabra normal y una visualización gráfica, para que el alumno asocie y haga la correspondencia entre una serie de dibujos y nombres, logrando una lectura global. También se hace la identificación de la vocal en letra de imprenta y letra cursiva.

3. ETAPA PROGRESIVA
Estudio de las consonantes en las diversas posiciones silábicas, en lecciones rigurosamente graduadas, ordenadas de la siguiente manera:

a. Sílabas directas simples (ma, su, si)
b. Sílabas inversas simples (am, us, is)
c. Sílabas mixtas (gue, gui)
d. Sílabas directas dobles (bra, fri, ple)

El alumno encontrará a lo largo de cada lección el siguiente proceso:

- Presentación de la Palabra Motora destacada que contiene la sílaba motivo de estudio, con su respectiva ilustración.
- Identificación de la sílaba mediante el proceso de análisis.
- Lectura de las sílabas en letra de imprenta y letra cursiva.
- Lectura y construcción de nuevas palabras, destacando algunas con recursos gráficos.
- Lectura y construcción de frases sencillas, que contienen la sílaba motivo de estudio y una oración en letra cursiva, que favorece el adiestramiento en la escritura.

Cada docente enfatizará con sus alumnos aquellas lecciones que considere más adecuadas a su situación particular e intereses de cada niño.

Las páginas finales de la cartilla CHIQUI incluyen temas para que el niño pueda afianzar y adquirir seguridad en la lectura. Contiene cuentos, trabalenguas, adivinanzas y otros.

Esperamos que nuestra cartilla CHIQUI contribuya con el desarrollo intelectual del niño y sea un recurso valioso de motivación y superación.

oveja

oso

ojo

uva

uña

uno

aro

avión

abeja

elefante

enano

espada

indio

isla

iguana

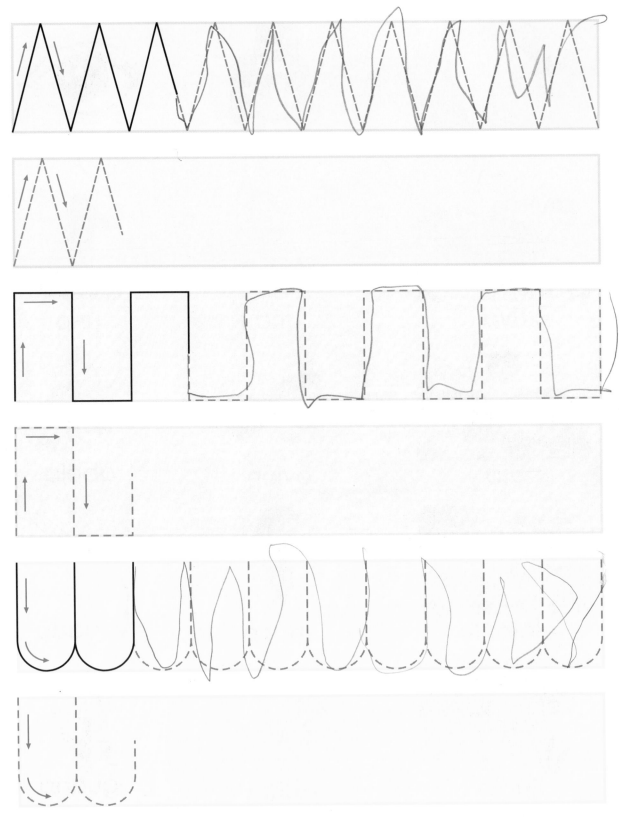

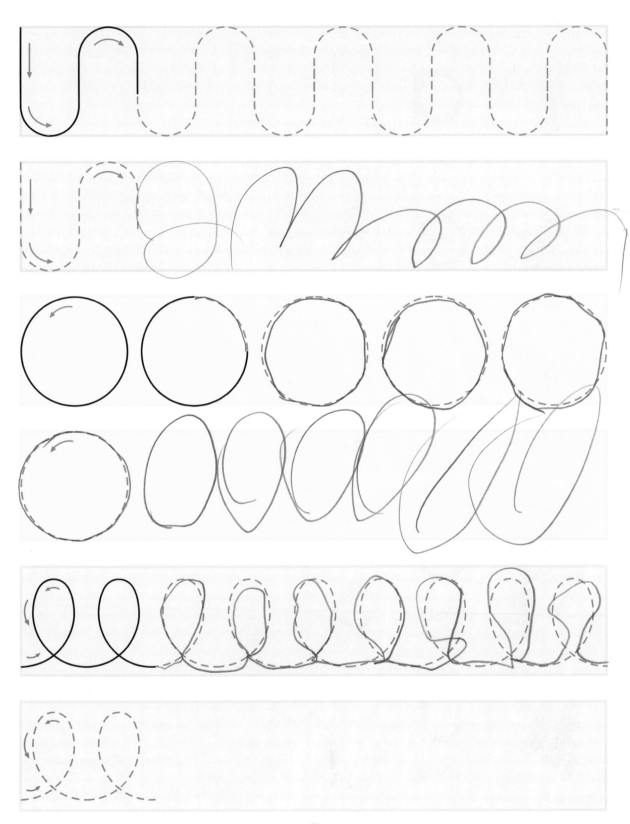

a

ala

e

elefante

i

iglesia

o

oso

u

uva

a

aro

a o a o a

anillo

avión

a o a o a

elefante

e a e a e

espada · enano

i

indio

i o i o i

iguana

iglesia

i o i o i

oveja

o e o e o

ojo

oso

u

uva

u a u a u

uña

uno

   a

mamá

ma	me	mi	mo	mu
ma	*me*	*mi*	*mo*	*mu*

mamá	Memo	ama
mimo	ama	Ema
mima	mami	amo

ama   mami   amo   mima

ama   mami   amo   mima

mi mamá me ama.

amo a mi mamá.

mi mamá me mima.

mimo a mi mamá.

mimo a mi mamá.

papá

pa	pi	pe	pu	po
pa	*pi*	*pe*	*pu*	*po*

papá	pipa	pepa
Pepe	papa	mapa
pomo	puma	papá

papá   pipa   puma   pepa

papá pipa puma pepa

pipa **puma** **Pepe**

mi papá me ama.

mimo a mi papá.

papá ama a mamá.

mi papá me mima.

amo a mi papá.

amo a mi papá.

nene

ne	ni	na	nu	no
ne	*ni*	*na*	*nu*	*no*

mono	pena	maní
nena	pino	menú
mina	mona	maná

nene   nana   mano   mina

nene   nana   mano   mina

| mano | mono | nena |

Pepe mima a mi nena.

mi nena me ama.

Nina mima a mi mono.

mi mamá me anima.

amo a mi mono.

amo a mi mono.

sapo

sa	so	si	se	su
sa	*so*	*si*	*se*	*su*

sopa	sano	peso
pesa	mesa	pasa
suma	paso	supo

misa   piso   masa   pesa

misa   piso   masa   pesa

| oso | sopa | masa |

ese oso sí pesa.

mamá puso mi sopa.

Pepe amasa su masa.

---

paso a paso,

mamá pasa a mi oso.

papá usa ese mapa.

Susi sana mi mano.

Susi sana mi mano.

luna

| lu | lo | la | le | li |

lu   *lo*   *la*   *le*   *li*

lulo	Lola	lupa
lona	lomo	pala
loma	Lina	sale

lana   lino   mula   lima

lana lino mula lima

paloma **Lola** **lana**

la paloma sale sola.

Lola sale a la misa.

mamá usa la lana.

Lili sólo sana

a mi paloma.

la lima pule la pala.

la mula pasa la loma.

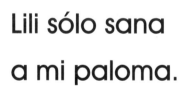

la mula pasa la loma.

tapa

ta	ti	to	tu	te
ta	*ti*	*to*	*tu*	*te*

tipo	tula	mata
Tito	tina	mate
nata	pato	meta

tela   tío   pata   pito

tela   tío   pata   pito

| pelota | maleta | moto |

Tino toma la pelota.

Tito pasa una maleta.

mi moto sí pita.

---

papá pasa a la mesa.

papá toma té,

mamá toma tilo.

mi pato le teme a tu mono.

mi pato le teme a tu mono.

dado

da	de	do	di	du

da   *de*   *do*   *di*   *du*

dama	lodo	mudo
dime	nudo	dedo
duda	nada	lado

dame   nido   seda   duda

dame   nido   seda   duda

| moneda | nido | dedo |

dale mi moneda a Danilo.

la paloma pisa su nido.

Dani sana mi dedo.

---

papá me saluda,

pide limonada,

me da una moneda.

Lalo pide a la dama.

Lalo pide a la dama.

toro

re	ro	ri	ra	ru

re   *ro*   *ri*   *ra*   *ru*

muro	loro	mora
pera	poro	pare
puro	tiro	marino

arete   aro   pera   arena

arete aro pera arena

marinero   **pera**   **mariposa**

ese marinero no demora.

mi pera se madura.

mira a esa mariposa.

___

ese torero sale a la arena,
no teme a su toro.

Dame una mora madura.

Marina mira a mami.

Marina mira a mami.

ramo

ra	re	ru	ri	ro
ra	*re*	*ru*	*ri*	*ro*

rama	risa	torre
remo	ruso	perro
ropa	rana	parra

rima   rata   tarro   ruta

rima   rata   tarro   ruta

| rosa | perro | risa |

mira la rama de la rosa.

mi perro sale de la perrera.

a Ramiro le da risa.

---

ese remo roto de René

rema rápido.

el perro corre a la torre.

esa rana pasa la rama.

esa rana pasa la rama.

casa

ca · co · cu

ca · co · cu

capa	copa	saco
corona	coco	pico
cuna	roca	coro

cupo capa camisa cara

cupo capa camisa cara

32

camisa   **cono**   **cometa**

mi camisa la cose Teresa.

dame ese rico cono.

Camilo me da su cometa.

Carolina come poco cono; sólo come caramelo de coco.

ese loco corre a su casa.

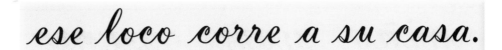

ese loco corre a su casa.

niña

| ña | ño | ñi | ñu | ñe |

ña *ño* *ñi* *ñu* *ñe*

leña	caña	Toño
riña	moño	araña
año	cuña	señora

niño   puño   peña   uña

niño   puño   peña   uña

 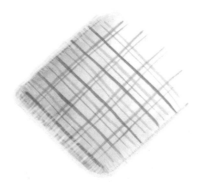 

piña **paño** **niño**

Camilo me da piña madura.

mamá cose mi saco de paño.

el niño se bañará mañana.

---

cada mañana

esa niña come piña.

ese niño cariñoso no riñe.

mami le teme a la araña.

mami le teme a la araña.

vela

ve	vi	vo	vu	va
ve	*vi*	*vo*	*vu*	*va*

vino	vena	nave
vara	vaca	pavo
vida	vaso	vivo

uva   lava   vino   vela

uva lava vino vela

vaca   **venado**   **vaso**

Olivo vacuna la vaca.

mi venado come avena.

toma mi vaso de vino.

A Mᶦ Mᶦ

mamá Eva toma
vitamina de mi vaso.

Vanesa visita a Oliva.

la vela da vida a mi sala.

la vela da vida a mi sala.

bota

be	ba	bi	bu	bo

be   *ba*   *bi*   *bu*   *bo*

bola	nube	barro
bote	lobo	nube
beso	cubo	burro

baño	bala	sabe	bata

baño bala sabe bata

 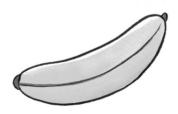 

boca	banano	bote

la boca de Beto me da risa.

su mico bota mi banano.

Benito sube a su bote.

Benito subie a su bote

Benito baña a su bonito burrito, le da bebida, le lava la boca.

mi perico come banano.

mi perico come banano.

39

foto

fa	fi	fo	fu	fe
fa	*fi*	*fo*	*fu*	*fe*

foca	fama	café
fila	faro	rifa
fino	forro	sofá

fino	faro	rifa	filo
fino	*faro*	*rifa*	*filo*

café	teléfono	sofá

Fátima toma café.

Felipe usa mi teléfono.

papá rifa ese sofá.

---

ese fino teléfono

de Federico repica, repica.

Felipe toma una foto a la foca.

Fátima bota ese café.

Fátima bota ese café.

gorra

ga	go	gu
ga	*go*	*gu*

gota	mago	bigote
gata	goma	laguna
gasa	garra	gusano

lago   fuga   amigo   regalo

lago fuga amigo regalo

| soga | regalo | gato |

mi amigo agarra la soga.

Gabo me da ese regalo.

ese gato usa bigote.

---

ese mago Magú pega
la soga de goma.

mi gatito bebe gota a gota.

regalo golosina a mi gato.

regalo golosina a mi gato.

43

yate

ya	ye	yo	yu	yi

ya   *ye*   *yo*   *yu*   *yi*

yodo	yema	mayo
yeso	yoyo	soya
yuca	yute	rayo

raya   yugo   ayuno   mayo

raya yugo ayuno mayo

rayo **payaso** **yoyo**

ese rayo cayó ayer.

ese payaso ya desayunó.

mi yoyo sube y baja.

mamá Yolima ayuda a Yayita y le da su desayuno.

ese payaso raya ese yeso.

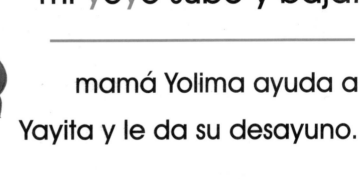

Popeye come soya.

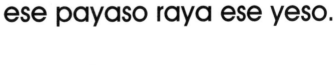

Popeye come soya.

hada

| ha | hi | hu | he | ho |

ha   hi   hu   he   ho

haba	hule	humano
hilo	hipo	herida
Hugo	hoyo	hábito

| higo | humo | heno | ahora |

higo humo heno ahora

| helado | hora | cohete |

Homero come helado de coco.

Helena me da la hora.

el cohete va a la Luna.

---

ahora Homero le cura la
herida a su mula
y le pone herradura.

Hugo baila ahí y ahora.

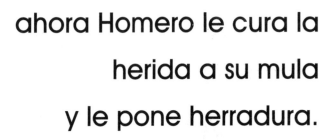

Hugo baila ahí y ahora.

jirafa

| ja | ji | jo | ju | je |

ja *ji* *jo* *ju* *je*

jarra	paja	reja
jefe	teja	teje
joya	hijo	lujo

jugo   lija   tajo   aguja

jugo lija tajo aguja

conejo **hoja** **abeja**

José dejó a su conejo.

Maruja dibujó esa hoja.

la abeja baja de la teja.

el pájaro teje
su nido de paja.

tomo jugo de esa jarra.

la abeja picó su oreja.

la abeja picó su oreja.

zorra

zo	zu	za
zo	*zu*	*za*

pozo	zumo	lazo
tiza	mozo	zona
buzo	zurra	rizo

erizo   pereza   zafiro   loza

erizo   pereza   zafiro   loza

zapato   **cabeza**   **zorro**

mira la cabeza de ese buzo.

mi zapatero usa ese zapato.

ese zorro caza y se eriza.

José toma una tiza de la pizarra y hace la suma.

el erizo come calabaza.

tiño mi taza de loza.

tiño mi taza de loza.

llama

lla	lle	llu	lli	llo
lla	*lle*	*llu*	*lli*	*llo*

llave	pollo	gallina
llano	sello	relleno
llaga	valle	anillo

arrullo   olla   bulla   lleno

arrullo olla bulla lleno

caballo **silla** **gallo**

mi caballo me lleva a ese valle.

papá lleva su silla a mamá.

ese gallo sale de la malla.

la nana lo arrulla

y ese niño calla.

llevo una olla de sopa de pollo.

ella llena su jarra de jugo.

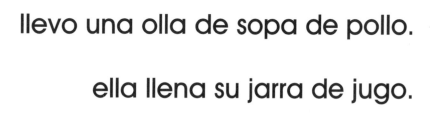

ella llena su jarra de jugo.

cera

ci	ce
ci	*ce*

cena	ceniza	docena
cita	cereza	cebolla
cebada	vecino	cédula

cero	ceja	cine	vecina
cero	*ceja*	*cine*	*vecina*

  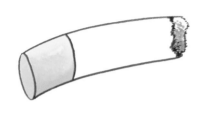

racimo   **cocina**   **cigarrillo**

la vecina me da ese racimo.

Celina va a la cocina.

apago ese cigarrillo.

---

mi vecina hace una rica

receta para la cena:

cocina tocino y cebolla.

Ciro fuma cigarro.

Ciro fuma cigarro.

gemelo

ge	gi
ge	*gi*

gira	ligero	género
gelatina	Genaro	gemela
mágico	rígido	Regina

rugido giba gemido gema

rugido giba gemido gema

Regina   **giro**   **página**

Regina mira esa gema.

vigila ese giro de ese carro.

pasa esa página ligero.

Pepe dirige ligero su
mirada a esa página
y ese gemelo lo vigila.

la dama gira mi mano.

la dama gira mi mano.

chino

cho	chi	che	cha	chu

cho   chi   che   cha   chu

chica	lechuga	noche
choza	cuchara	techo
chivo	chuleta	pecho

dicha   leche   coche   ducha

dicha leche coche ducha

hacha **chaleco** **techo**

Chucho usa mi hacha.

Lucho se pone su chaleco.

Pachita mira ese techo.

esa vaca lechera da

mucha leche rica y a

Chucho le da dicha.

la lechuza no chilla.

la lechuza no chilla.

queso

que	qui	ki	ka	ke

que   *qui*   *ki*   *ka*   *ke*

queja	pequeño	kimono
quijada	máquina	kepis
tiquete	líquido	bikini

quema   choque   duque   kaki

quema choque duque kaki

raqueta   **buque**   **kilo**

Paquito me regala su raqueta.

ese buque no se quema.

Karina pasa mi kilo de queso.

Paquito se queja de su
mala nota de química
y Chiqui lo anima.

todo mi equipo lleva tiquete.

todo mi equipo lleva tiquete.

guiso

gui **gue**

gui *gue*

laguito	hoguera	Guido
guitarra	amiguito	guijarro
guerrero	guisado	Miguel

higuera   guerra   sigue   guía

higuera guerra sigue guía

guiño   **águila**   **juguete**

hago un guiño a mi amiga.

esa águila pasa la nube.

regalo mi juguete a Guido.

ese guerrero hace una
hoguera, guisa su comida
y sigue su camino.

mi amigo me da su guitarra.

mi amigo me da su guitarra.

esfera

as	es	is	os	us
as	es	is	os	us
escoba	estuche		costa	lunes
pasto	castillo		gusto	pista
pescado	máscara		musgo	canasta

cesta

isla

mosca

Mira Chiqui, como puedes ver,
la esfera se desliza desde esa mesa lisa.

el asno se asusta y no come pasto.

altillo

al	el	ol	il	ul
al	*el*	*ol*	*il*	*ul*

al	el	ol	il	ul
alma	hotel	espiral	espalda
sal	cultura	selva	dulce
canal	caracol	farol	alfil

barril

palma

pastel

Desde el altillo de mi casa puedo tomar el sol,
diviso un farol y saludo a mi amiga Raquel.

el caracol se oculta del sol.

antena

an	en	in	un	on
an	*en*	*in*	*un*	*on*
ángel	pinza	joven	ventana	
banco	punta	limón	bandera	
santo	mundo	cinta	capitán	

patín

naranja

ratón

Juan ve desde su ventana esa antena
gigante, en la casa de su vecino Antonio.

don ratón come pan con jamón.

arco

ar	or	ur	er	ir
ar	*or*	*ur*	*er*	*ir*

ar	or	er	ir
carta	curva	verde	hormiga
circo	barco	cordero	jardín
sordo	azúcar	parque	carga

cerdo **ardilla** **martillo**

Después de estudiar me gusta jugar
con Oscar y Carlos en el arco del parque.

en mi jardín germinarán mil geranios.

radio

io	oi	ie	ei	ia	ai
io	*oi*	*ie*	*ei*	*ia*	*ai*

piojo	cielo	día	baile
violeta	reina	viaje	aire
oído	peine	anciano	caimán

geranio   **feria**   **indio**

El anciano Darío escucha las
noticias día a día en su viejo radio.

cada día estudio mi materia.

68

huevo

ue	ui	au	ua	oa	eo
ue	*ui*	*au*	*ua*	*oa*	*eo*

cuello	ruido	aula	reo
hueco	auto	estatua	feo
rueda	jaula	lengua	canoa

muela

sueño

abuela

Esa gallina de mi huerta hace mucho ruido,
asea su suave nido, pone un huevo y cacarea.

cuida el aseo de tu escuela.

lector

ac	ec	ic	uc	oc
ac	*ec*	*ic*	*uc*	*oc*

ac	ec	ic	oc
actor	lectura	victoria	pacto
sector	director	insecto	ficción
acción	inyección	dictado	acto

cacto   **diccionario**   **doctor**

Mi profesor Héctor me enseña para que
estudie las lecciones y sea un buen lector.

tic-tac, tic-tac, mi reloj está en acción.

pez

ez	iz	oz	uz	az
ez	*iz*	*oz*	*uz*	*az*
maíz	luz	feliz	arroz
lápiz	voraz	paz	acidez
perdiz	voz	durazno	nitidez

nariz

durazno

raíz

El pez nada feliz en el mar y con mucha
rapidez; también tiene un apetito voraz.

sueño feliz que llegue la luz de la paz.

campesino

am	im	om	um	em
am	*im*	*om*	*um*	*em*
campo	cambio	bomba	estampa
tumba	lámpara	limpio	marimba
cumbia	combo	bambú	embudo

tambor

bombero

compás

En compañía de sus animales, al amanecer y con mucho empeño, el campesino cultiva el campo.

pom, pom, pom, tú tocas el tambor.

rey

ey	ay	oy	uy
ey	*ay*	*oy*	*uy*

ley	voy	hoy
hay	buey	muy
carey	soy	estoy

ley

buey

Hoy hay júbilo en el palacio y el rey está muy contento; él dictará hoy su nueva ley.

hoy voy muy feliz a mi escuela.

taxi

xi	xa	xu	xo	xe
xi	*xa*	*xu*	*xo*	*xe*
axila	éxito	nexo	sexto
óxido	oxígeno	sexo	mixto
máximo	laxante	auxilio	tórax

examen   **xilófono**

Ya terminé con éxito mi evaluación. Ahora el taxi de Sixto me lleva por la calle sexta hasta mi casa.

el saxofón me da su máxima nota.

playa

pla	ple	pli	plo	plu
pla	*ple*	*pli*	*plo*	*plu*

pla	ple	plo	plu
plano	pliego	plaga	plato
pleno	templo	plomo	pluma
placa	plaza	soplete	platino

planta

plátano

En un pleno sol de verano juego en la playa
y me divierto plácidamente con mi papá.

mi canario tiene plumaje plateado.

tablero

bla	ble	blu	bli	blo
bla	*ble*	*blu*	*bli*	*blo*

tabla	niebla	sable	Pablo
cable	pueblo	roble	noble
mueble	blanco	amable	bloque

biblia

blusa

En la escuela de mi pueblo, el noble
profesor Pablo tiene un tablero de fino roble.

Chiqui habla, escucha y es amable con todos.

bicicleta

cle	cli	cla	clo	clu
cle	*cli*	*cla*	*clo*	*clu*

clara	clase	recluta	clavo
cloro	tecla	esclavo	clínica
clima	clave	reclamo	chicle

clavel

ancla

En esta clara mañana, voy a clase
en mi bicicleta de color rojo claro.

aclamo al campeón quien reclama un clavel.

florero

flo	fla	fli	flu	fle
flo	*fla*	*fli*	*flu*	*fle*
flor	flan	rifle	flora
flota	flojo	flaco	florido
fleco	flema	flecha	reflejo

flotador

flauta

Ese florero de bellas flores lo envió Floralba
desde la floristería como regalo para su mamá.

las flores florecen en mayo.

pradera

pri	pra	pro	pru	pre
pri	*pra*	*pro*	*pru*	*pre*

pri	pra	pro	pre
prisa	previa	princesa	prado
preso	prensa	primero	precio
predio	sorpresa	promesa	compra

primo

profesor

Hagamos la promesa de proteger la pradera
y así podemos jugar en la primavera.

mi profesor prepara su primera clase.

iglesia

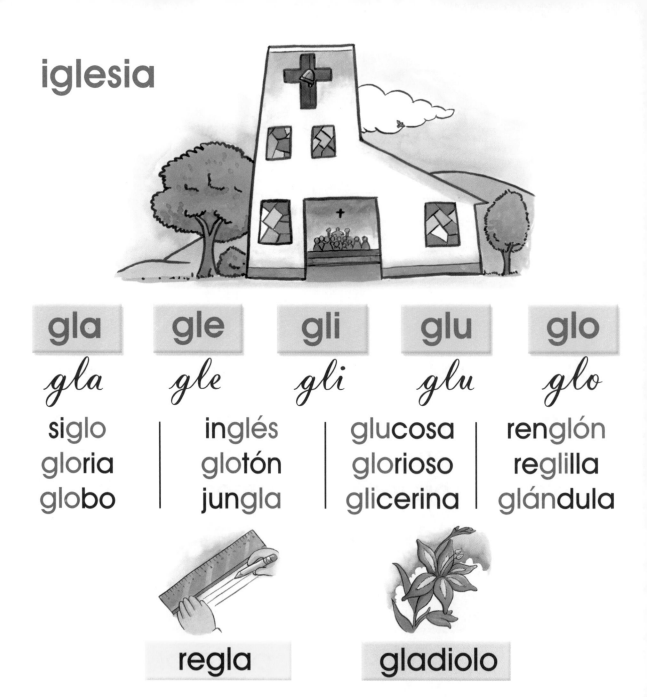

gla	gle	gli	glu	glo
gla	*gle*	*gli*	*glu*	*glo*
siglo	inglés	glucosa	renglón
gloria	glotón	glorioso	reglilla
globo	jungla	glicerina	glándula

regla

gladiolo

Todos los domingos Gloria y yo llevamos
globos y gladiolos a la iglesia de mi ciudad.

Gloria juega en el parque con globos.

libro

bre	bro	bra	bru	bri
bre	*bro*	*bra*	*bru*	*bri*

bre	bro	bra	bri
brasa	brazo	brillo	labrador
bravo	broche	sobre	pesebre
brindis	fábrica	liebre	sombrero

cabra

sombrilla

Si lees un libro cada mes, serás un niño
sobresaliente y brillará tu inteligencia.

la liebre brinca y brinca sobre el prado.

tigre

gru	gra	gri	gre	gro
gru	*gra*	*gri*	*gre*	*gro*
grito	gruta	grano	grillo
grado	sangre	grande	milagro
grupo	grasa	vinagre	bolígrafo

cangrejo   **grulla**

En la granja del agricultor, el tigre grande
y glotón se asustó con un grillo gritón.

me agrada la gracia y alegría de Gregorio.

triciclo

tre	tri	tru	tra	tro
tre	*tri*	*tru*	*tra*	*tro*

trigo	trozo	traje	litro
tren	tropa	letrero	trono
trineo	trébol	trabajo	contrato

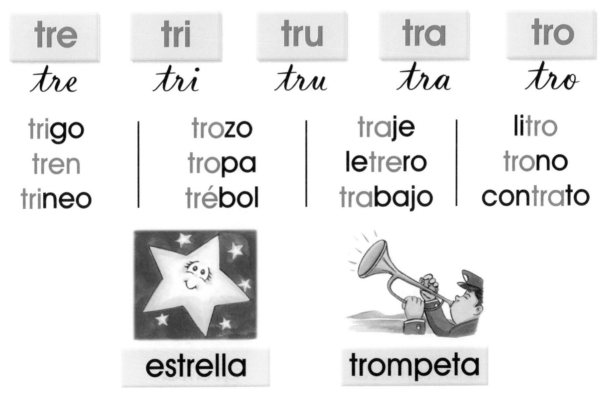

estrella   trompeta

El triciclo de Trinidad hace mucho estruendo
al entrar a la casa con sus tres ruedas destruidas.

tres traviesos potros se comen el trigo.

recreo

cra	cre	cru	cri	cro
cra	*cre*	*cru*	*cri*	*cro*

crudo cráter cráneo

credo Cristo crítica

cristal crema cromo

crucero crucifijo escritura

cruz

cresta

En el recreo, Lucrecia cruza el prado y Cristina come crema; no beben agua cruda porque tiene microbios.

croac, croac, croaba la rana color crema.

ladrón

dro	dri	dra	dru	dre
dro	*dri*	*dra*	*dru*	*dre*
padre	draga	dragón	madrina
cedro	madre	Sandra	taladro
droga	piedra	padrino	cocodrilo

cuadro

ladrillo

Pedro el ladrón va a la cárcel por robar la cartera
de Sandra; sus padres viven un drama.

el dragón madruga y se para en la piedra.

frutero

fra	fru	fre	fro	fri
fra	*fru*	*fre*	*fro*	*fri*

fra	fru	fre	fri
freno	fríjol	frente	frasco
fruto	cofre	fresco	franco
frase	freno	fragua	frenillo

frambuesa   **fresa**

Francisco pone al frente un frutero con fresas,
frambuesas y muchas otras frutas frescas.

ese frasco está lleno de refrescos.

¡ Ya aprendí a leer !

¡Qué alegría!
que felicidad me da
ahora con Chiqui
ya aprendí a leer.

Con mi profesora
y mi cartilla Chiqui
estudio todos los días
y aprendo cada vez más.

Hago mis tareas
y estudio mis lecciones
para que mis padres
estén orgullosos de mí.

En mi escuela
seguiré estudiando
para legarle a mi patria
mi nombre y mi corazón.

Trabalenguas

Guerra tenía una parra
y Parra tenía una perra,
y la perra de Parra
mordió la parra de Guerra,
y Guerra le pegó con la porra
a la perra de Parra.
-Diga usted, señor Guerra:
Por qué le ha pegado con la
porra a la perra?
-Porque si la perra de Parra
no hubiera mordido la parra
de Guerra, Guerra no le habría
pegado con la porra a la
perra.

Paco Peco, chico rico,
le gritaba como loco
a su tío Federico,
y éste le dijo:
¡Poco a poco,
Paco Peco, poco pico!

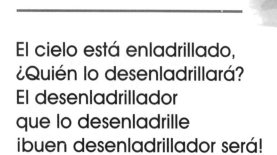

El cielo está enladrillado,
¿Quién lo desenladrillará?
El desenladrillador
que lo desenladrille
¡buen desenladrillador será!

Adivinanzas

1. Mi madre es tartamuda,
   mi padre es cantador,
   tengo blanco mi vestido
   y amarillo el corazón.

2. Llevo mi casa al hombro,
   camino sin una pata
   y voy marcando mi huella
   con un hilito de plata.

3. En lo alto vive, en lo alto mora,
   en lo alto teje, la tejedora.

4. Oro parece, plata no es;
   para saberlo, dílo otra vez.

6. En el mar y no me mojo;
   en brasas y no me abraso;
   en el aire y no me caigo,
   y me tienes en tus brazos.

5. ¿Qué cosa es cosa
   que entra en el río
   y no se moja?
   No es sol ni luna
   ni cosa alguna.

1. El huevo.   2. El caracol. 3. La araña
4. El plátano.   5. La sombra.   6. La letra a.

El gato y el ratón

Estaba una vez un gato
comiéndose una sardina.

Y un ratón le contemplaba
asomándose a una esquina.

De repente al pobre gato
se le atragantó una espina.

Y el ratón al ver el caso
hacia el gato se encamina.

Y con unos alicates
logró sacarle la espina.

El canguro

¡Qué raro es el canguro
con su bolsa delante!
¿Un bolsillo gigante
para caso de apuro?

Un refugio seguro
para el hijo lactante
que contempla expectante
como asomado a un muro.

Su cola es hierro puro
de fuerza impresionante
y empuja hacia adelante
golpeando el suelo duro.

Don Gato

Estaba el señor don Gato
en silla de oro sentado,
cuando vino la noticia
que tiene que ser casado
con una gatita blanca,
hija del gatito pardo.

Y se puso tan contento
que se cayó desmayado.
Llamaron a siete médicos
y otros siete cirujanos;
dijeron que estaba muerto
y por muerto lo dejaron.

Ya lo llevan a enterrar
por la calle del pescado;
y al olor de las sardinas,
el gato ha resucitado.

Dando un salto de la caja
se ha metido en el mercado;
robando una pescadilla
porque estaba desmayado.
Entonces salió corriendo
de un modo desesperado.

Por tirar la calle arriba,
tiró por la calle abajo,
tropezando con un perro,
que le arrancó medio rabo,
le echó las tripas al aire,
después de haberle besado.

Y entonces quedó bien muerto
como en la guerra el soldado.

Los tres cerditos

En una ciudad muy lejana vivían tres cerditos. Cada uno de ellos había construido una casita. El mayor la había hecho de paja, así que era poco sólida, sin embargo la había terminado muy pronto porque no le gustaba trabajar. La casa del mediano era de madera, más sólida, pero como también era muy perezoso había pegado todas las tablas en vez de clavarlas bien. El más pequeño vivía en una casita hecha con ladrillos. Había tardado muchos días en construirla. Los muros eran gruesos y las ventanas cerraban muy bien. La puerta de entrada estaba perfectamente asegurada. La casa de ladrillos era muy resistente.

Los dos cerditos mayores se burlaban del más pequeño. -¿Tú no piensas nunca en divertirte?, le decían. Nosotros cantamos y bailamos todo el día, eso es más agradable que trabajar.

Un día llegó un lobo. Los tres cerditos se fueron a cobijar en sus casas. El lobo se acercó primero a la de paja y empezó a soplar sobre los muros que volaron muy pronto. El mayor de los cerditos corrió a pedir asilo a la casa de madera.

¿Atacaría ésta también el lobo?

Pues sí, y los dos cerditos estaban muy asustados. Lograron huir y se refugiaron en la casa de ladrillos.

El lobo, enojado, atacó la tercera casa, pero todo fue en vano. Su propietario había trabajado muy bien. La casa resistió y el lobo se marchó con las manos vacías.

Los dos cerditos mayores reconocieron que habían cometido un error al burlarse del más valiente de los tres.

Pronto construyeron una casa muy sólida y el lobo ya no regresó jamás.

El león y el ratón

Estaba el león durmiendo la siesta bajo un árbol, y unos ratoncillos traviesos que pasaban por allí, al verle dormido se le subieron encima sin el menor respeto y empezaron a jugar, escondiéndose en su larga melena y saltando entre sus patas.

Pero tanto alborotaron que el león acabó despertándose; el león lanzó un rugido terrible y los pobres ratones huyeron aterrados; pero con un rápido movimiento de su poderosa garra, la fiera atrapó al más pequeño de ellos y lo miró con expresión feroz.

"No me hagas daño", suplicó el ratoncillo, "y seré tu amigo; si alguna vez estás en peligro, te ayudaré." Al león le hizo tanta gracia que lo soltó. ¡Aquel diminuto ratoncillo le ofrecía su ayuda a él, el rey de la selva!. "Está bien, valiente", dijo riendo, "siempre es bueno tener un aliado tan fuerte como tú."

Poco después el león cayó en la red de unos cazadores, y por más que se debatió y forcejeó no pudo soltarse. Ya se daba por perdido, cuando pasó por allí el ratoncillo, que royó con sus afilados dientes un nudo de la red y lo dejó en libertad.

Cualquier amigo, por pequeño que parezca, es valiosísimo.

YA APRENDÍ A LEER

Chiqui

DIPLOMA DE HONOR

OTORGADO A:

Por haber aprendido a leer y por
haber logrado superarse cada día más.

DIRECTOR (A)

PROFESOR (A)